PARIS ILLUSTRÉ

A. LECONTE EDITEUR
38-42 Rue Sainte Croix de la Bretonnerie
75004 PARIS
IMPRIMÉ EN ITALIE

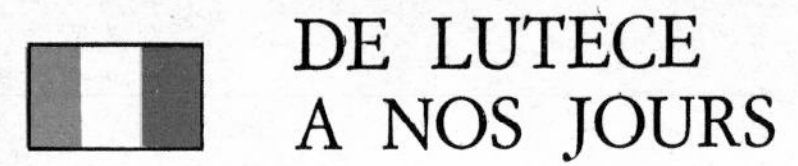

DE LUTÈCE A NOS JOURS

Ce livre n'est pas un guide et ne propose pas de véritables itinéraires bien que nous l'ayons partagé en plusieurs promenades assez libres.

Nous l'avons composé d'images, de ces images qui donnent à Paris son visage et que l'on aime également envoyer aux amis ou garder en souvenir.

Aux amis vous adressez des cartes postales; dans ce livre, vous retrouverez pour vous les étapes essentielles de votre exploration de Paris.

Il y a tant d'aspects de Paris à découvrir que nous ne prétendons pas enfermer tous ces visages dans un simple livre d'images mais s'il vous permet, autour des principaux repères que nous y avons réunis, de rassembler vos souvenirs, nous aurons atteint notre but.

Née d'une bourgade de pêcheurs de la tribu des Parisii, installés dans la plus grande île de la Seine, Lutèce devient, après la conquête romaine, une belle ville de province qui commence de s'étendre sur la rive gauche. La décadence de l'Empire et le flot des barbares la renferment dans l'île.

Capitale de Clovis mais délaissée par Mérovingiens et Carolingiens, Paris ne prend son nom et ne devient définitivement première ville du royaume qu'avec Eudes Capet, comte de France, élu roi en 888.

A partir de ce moment, Paris ne cessera de se développer, riche ville marchande, turbulente ville universitaire, ville royale où se fait et se défait le pouvoir, où se tisse notre Histoire.

Chacune des promenades constituant ce livre commence à Notre-Dame, sanctuaire tutélaire et témoin de toutes les heures de sa ville, lieu privilégié au coeur de la cité, d'où partent tous les chemins de France.

VON LUTÈCE BIS ZU UNSERER ZEIT

Dieses Buch ist kein Reiseführer und schlägt keine tatsächlichen touristischen Wege vor, obwohl wir es in mehrere ziemlich freie Itinerarien unterteilt haben.

Wir haben es mit jenen Bilden ausgestattet, die der Stadt Paris ihr Aussehen verleihen und die man auch den Freunden schickt oder als « Souvenir » bei sich bewahrt.

Ihren Freunden werden Sie Postkarten schikken; in diesem Buch werden Sie die Wesentlichen Etappen ihrer Pariser Rundfahrt wiederfinden.

Es gibt so viele Aspekte von Paris zu entdekken, dass wir nicht glauben, dass ein einziger Bildband sie alle enthalten kann. Aber wir werden unser Ziel erreichen, wenn dieses Buch mit den darin gesammelten Hauptanweisungen es Ilhnen erlaubt, Ihre Erinnerungen ins Gedächtnis zurückzurufen.

Lutetia, das aus einem Fischerdorf des Stammes der Parisii hervorgegangen ist und auf der grössten Insel der Seine lag, verwandelte sich nach der römischen Eroberung in eine schöne Provinzstadt und begann sich auf dem linken Ufer zu entwickeln. Der Verfall des Römischen Reichs und der Einbruch der Barbaren schloss es auf der Insel ein.

Nachdem es die Hauptstadt Klodwigs gewesen war und von den Merovingern und Karolingern vernachlässigt wurde, erhielt Paris erst mit dem Grafen von Frankreich Eudes Capet (Odo I), der 888 zum König gewählt wurde, seinen heutigen Namen und wurde die grösste Stadt des Reichs.

Jeder in diesem Buch enthaltene touristische Spaziergang beginnt in Notre-Dame, dem Schutzheiligtum und Zeugen des ganzen Lebens von Paris, dem privilegierten Ort in der Mitte der Cité, von wo alle französischen Strassen ausgehen.

FROM LUTETIA TO PRESENT TIME

This book is not a guide book nor does it suggest itineraries in the true sense of the term, although we have divided it up in several rather free walking tours.
This book consists of pictures, those which give its true aspect to Paris, those also which we like to send to our friends or to keep as souvenirs.
You usually send your friends postcards; in this book you will rediscover the main sites of your visit to Paris.
There are so many aspects of Paris to be seen that we cannot claim we have included all of them in a single picture book, but if, thanks to this book, you can remeber what you saw by the main guide marks put into it, then our purpose will be achieved.
Lutetia began as a small settlement of fishermen from the Parisii tribe on the largest of the islands of the river Seine.
After the Roman conquest, it became a large provincial town and spread to the left bank. With the collapse of the Empire and the barbarian invasions, the people of the city withdrew again to the island.
Paris was Clovis' capital, then it was somewhat deserted by the Merovingians and Carolingians; it took its name and finally became the first town of the kingdom only on the advent of Hugues Capet, count of France, who was elected king in 888.
From that moment, Paris will develop into a rich commercial town, a turbulent university town, a royal town where power is taken and withdrawn, where our History will be made.
Each walking tour in this book begins at Notre-Dame, the tutelary sanctuary and the witness of the life of Paris, the privileged place in the heart of the city where all the roads of France are starting from.
We have also shown some of the sites which surround Paris with which they are historically closely related.

DE LUTECIA A NUESTROS DIAS

Este libro no es un guiá que propone verdaderos itinerarios aunque lo hayamos separado en varios paseos bastante libres.
Lo hemos compuesto de esas imagenes que dan a Páris la cara que nos gusta guardar de recuerdo y enviar igualmente a los amigos.
A los amigos enviais tarjetas; en este libro, encontraran Ustedes las etapas esenciales de vuestra exploración de Paris.
Hay tantos aspectos de París que descubrir que no pretenderemos encerrar todas esas caras en un simple libro de imagenes, pero si os permite juntar vuestros recuerdos con la aguada de las principales senãles que hemos reunido, entonces habremos alcazando nuestro punto final.
Nacida de un pueblo de pescadores de la tribu de los Parísii, instalados en la mas grande isla del Sena, Lutecia se volvio, despues de la conquista romana, una bella cindad de provincia que empieza a extenderse sobre la orilla izquierda. La decadencia del Imperio y la oleada de los bárbaros la encierra en la isla.
Capital de Clovis pero abandonada por los Merovingianos y los Carolingianos, Paris llevara su nombre y se volvera definitivamente primera Capital del reinado con Eudes Capet, Conde de Francia, elejido rey en 888.
A partir de ese momento, Paris no cesara de desarrollarse, rica ciudad real donde se hace o se deshace el poder y donde se teja nuestra historia.
Cada uno de nuestros paseos que constituye este libro empieza a Nuestra-Señora, sanctuario tutelario y testigo de todas las horas de su capital sitio privilegiado en el centro de la ciudad de donde salen todos los caminos de Francia.
Hemos igualmente reunido, a continuación de los principales paisajes de París, algunos de los que rodean la capital y le son estrechamente unido por la historia.

Nous avons également réuni, à la suite des principaux sîtes de Paris quelques uns de ceux qui entourent la capitale et lui sont étroitement liés par l'histoire.

Pour plus de commodité, nous indiquons ci-dessous de quelle grande période historique datent les monuments et les sîtes photographiés.
Moyen-Age: Cathédrale Notre-Dame, page 7, 8, 9, 39, 40, 47, 54, 63, 64, Eglise Saint-Germain-Des-Prés, pages 46, 47 - Hôtel de Sens, page 66 - Tour Saint-Jacques, page 11 - La Conciergerie, pages 41, 42, 43 - La Sainte Chapelle, page 44 - Cathédrale de Chartres, pages 89, 90, 91 - Pierrefonds, page 92.

XVIIe et XVIIIe siècles: Le Louvre, page 12 - Place de la Concorde, page 26 - 27 Place Vendôme, page 33 - Les Invalides, page 48 - Palais du Luxembourg, page 57 - Fontaine Médicis, page 58 - Eglise Saint-Sulpice, page 59 - Le Panthéon, page 59 - Jardin des Plantes, page 61 - Place des Vosges, page 66 - Versailles, pages 78, 79, 80, 81, 82, 83 - Fontainebleau, pages 84, 85, 86, 87 - Rambouillet, page 92.

1er Empire: Fontaine du Châtelet, page 11 - Arc de Triomphe du Carrousel, page 12, 13 - Arc de Triomphe de l'Etoile, pages 29, 30, 31 - La Madeleine, page 32 - Place Fürstenberg, page 45 - Fontainebleau, page 87, 88.

Second-Empire: L'Opéra, pages 34, 35, 36 - Tombeau de Napoléon 1er, page 48 - Fontaine de Carpeaux, page 60 - Les Buttes Chaumont, page 74 - Parc Monceau, page 75 - Bois de Vincennes, page 77.

Belle Epoque: Petit Palais, page 28 - Pont Alexandre III, pages 28, 38, 53 - Tour Eiffel, page 49, 50, 51 - La Sorbonne, page 56 - L'hôtel de ville, page 65 - Le Sacré-Coeur, pages 67, 68 - Quartier de Montmartre, pages 69, 70, 71, 72.
Epoque Contemporaine: Palais de Chaillot, pages 51, 52 - Maison de Radio France, page 52 - Tour Montparnasse, page 57.

Neben den wichtigsten Pariser Orten enthält dieses Buch auch Angaben über einige Orte, die am Rand der Stadt liegen und mit ihr durch die Geschichte eng verbunden sind.
Zu Ihrer besseren Bequemlichkeit, zeichnen wir hier unten eine grosse Zeittafel des bedeutensten Denkmäler und der wiedergegebenen Bilder an.
Mittelalter. Kathedrale Notre-Dame, Seite 7, 8, 9, 39, 40, 47, 54, 63, 64 - Eglise Saint-Germain-des-Prés, Seite 46, 47 - Hôtel de Cluny, Seite 56 - Hôtel de Sens, Seite 66 - Saint-Jacques-Turm, Seite 10 - Die Conciergerie, Seite 41, 42, 43 - Sainte-Chapelle, Seite 44 - Kathedrale de Chartres, Seite 89, 90, 91 - Pierrefonds, Seite 92.
XVII. und XVIII. Jahrhundert. Louvre, Seite 12 - Concorde-Platz, Seite 26, 27 - Vendôme-Platz, Seite 33 - Les Invalides, Seite 48 - Palast des Luxembourg, Seite 57 - Medicibrunnen, Seite 58 - Eglise Saint-Sulpice, Seite 59 - Panthéon, Seite 59 - Pflanzengarten, Seite 61 - Place des Vosges, Seite 66 - Versailles, Seite 78, 79, 80, 81, 82, 83 - Fontainebleau, Seite 84, 85, 86, 87 - Rambouillet, Seite 92.
I. Kaiserreich. Châtelet-Brunnen, Seite 11 - Triumphbogen des Carrousel, Seite 12, 13 - Etoile-Triumphbogen, Seite 29, 30, 31 - La Madeleine, Seite 32 - Fürstenberg-Platz, Seite 45 - Fontainebleau, Seite 87, 88.
II. Kaisserreich. Opéra, Seite 34, 35, 36 - Grabmal Napoléons I., Seite 48 - Brunnen von Carpeaux, Seite 60 - Buttes-Chaumont, Seite 74 - Monceau-Park, Seite 75 - Bois de Vincennes, Seite 77.
Belle Epoque. Kleiner Palast, Seite 28 - Alexander III.-Brücke, Seite 28, 38, 53 - Eiffel, turm, Seite 49, 50, 51 - Sorbonne, Seite 56 - Rathaus, Seite 65 - Sacré-Coeur, Seite 67, 68 - Montmartre-Viertel, Seite 69, 70, 71, 72.
Heutige Zeit. Chaillot-Palast, Seite 51, 52 - Gebäude des Französischen Rundfunks, Seite 52 - Montparnasse-Turm, Seite 57.

For your convenience, we here below indicate the main historical periods of the monuments and sites shown in the book.

Middle-Ages. Notre-Dame Cathedral, page 7, 8, 9, 39, 40, 47, 54, 63, 64, Saint-Germain-Des Prés Church page 46, 47 - The Hôtel de Cluny, page 56 - The Hôtel de Sens, page 66 - The Saint-Jacques Tower, page 10 - The Conciergerie, pages 41, 42, 43 - The Sainte Chapelle, page 44 - Chartres Cathedral, page 89, 90, 91 - Pierrefonds, page 92.

XVII° and XVIII° centuries. The Louvre, page 12 - Place de la Concorde, page 26, 27 - Place Vendôme, page 33 - The Invalides, page 48 - The Palais du Luxembourg, page 57 - The Fontaine Médicis, page 58 - The Saint-Sulpice Church, page 59 - The Panthéon, page 59 - The Jardins des Plantes, page 61 - The Place des Vosges, page 66 - Versailles, page 78, 79, 80, 81, 82, 83 - Fontainebleau, page 86, 87 - Rambouillet, page 92.

1st Empire - The Fontaine du Châtelet, page 1 - Arc de Triomphe du Carrousel, page 12, 13 - Arc de Triomphe de l'Etoile, page 29, 30, 31 - The Madeleine, page 32 - Place Fürstenberg page 45 - Fontainebleau, page 87, 88.

2nd Empire - The Opera-House, page 34, 35, 36 - Napoleon 1st Grave, page 48 - The Fontaine de Carpeaux, page 60 - The Buttes Chaumont, page 74 - Parc Monceau, page 75 - The Bois de Vincennes, page 77.

Belle Epoque. The Petit Palais, page 28 - The Alexandre III bridge, page 28, 38, 53 - The Eiffel Tower, page 49, 50, 51 - The Sorbonne, page 56 - The Hôtel de Ville, page 65 - Sacré-Coeur, page 67, 68 - Quartier de Montmartre, page 69, 70, 71, 72.

Contemporary Age. The Palais de Chaillot, page 51, 52 - Maison de Radio-France, page 52 - Tour Montparnasse, page 57.

Para mas comodidad, indicamos seguidamente de que grandes periodos históricos existen los monumentos y paisajes retratados.

Edad-Media. Catedral Nuestra-Señora: p. 7, 8, 9, 39, 40, 47, 54, 63, 64; Iglesia San Germain-des-Prés, p. 46, 47 - Hôtel de Sens, p. 66 - Torre Santiago, p. 10 - La Conserjería, p. 41, 42, 43 - La Santa Capilla, p. 44 - La Catedral de Chartres, p. 89, 90, 91 - Pierrefonds, p. 92.

Siglos XVII y XVIII - El Luvre, p. 12 - Plaza de la Concordia, p. 26, 27 - El Palacio del Luxemburgo, p. 57 - Fuente de Medicis, p. 58 - Iglesia San-Sulpice, p. 59 - El pantéon, p. 59 - Jardin del Plantas, p. 61 - La Plaza de los Vosgos, p. 66 - Versailles, p. 78, 79, 80, 81, 82, 83 - Fontainebleau, p. 84, 85, 86, 87, 88 - Rambouillet, p. 92.

Primer Imperio - Fuente del Châtelet, p. 11 - Arco de Triunfo del Carrusel, p. 12, 13 - Arco de Triunfo p. 29, 30, 31 - La Magdalena, p. 32 - La Plaza Fürstenberg, p. 45 - Fontainebleau, p. 87, 88.

Secundo Imperio - El Opera, p. 34, 35, 36 - El sarcófago del Napoleon 1er, p. 48 - Fuente del Carpeaux, p. 60 - Buttes Chaumont, p. 74 - Parque Monceau, p. 75 - Bosque de Vincennes, p. 77.

Bella Epoca - Pequeño Palacio, p. 28 - El Puente Alejandro III, p. 28, 38, 53 - La Torre Eiffel, p. 49, 50, 51 - La Sorbonne, p. 56 - El Ayuntamiento, p. 65 - El Sagrado Corázon, p. 67, 68 - Montmartre, p. 69, 70, 71, 72.

Epoca Contemporanéa - Palacio de Chaillot, p. 51, 52 - Casa de Radio-Francia, p. 52 - La Torre Montparnasse, p. 57.

De Notre-Dame à l'Arc de Triomphe

Du coeur de la Cité, nous partons à la découverte de la rive droite de la Seine.
Après avoir vu la place du Châtelet avec ses théâtres et sa fontaine nous arrivons, par les jardins, aux palais du Louvre dont nous visiterons le Musée. Puis nous rejoignons la place de la Concorde et remontons une des plus célèbres avenues du monde, les Champs Elysées, jusqu'à la place de l'Etoile et à l'Arc de Triomphe. Enfin, après avoir vu la Madeleine, hommage du XIXè siècle au classicisme Gréco-Romain, nous terminons notre promenade avec les fastes de l'Opéra.

Vom Herzen der Cité aus brechen wir zur Entdeckung des rechten Seineufers auf.
Nach Besichtigung des Châtelet-Platzes mit seinen Theatern und der Fontäne kommen wir durch die Anlagen zum Louvre, dessen Museum wir besichtigen wollen. Dann kehren wir zum Concorde-Platz zurück und gehen eine der berühmtesten Avenuen der Welt-die Champs-Elysées-bis zum Etoile-Platz mit dem Triumphbogen hinauf. Wir sehen noch die Madeleine-Kirche, Huldigung des XIX. Jahrh, an den griechisch-römischen Klassizismus und beenden unseren Rundgang mit dem prunkvollen Opernhaus.

From the heart of the City we go and discover the right bank of the river Seine.
We first admire the Place du Châtelet with its theatres and its fountain, and through a succession of lovely gardens, we get to the Palais du Louvre where we visit the Museum.
Then, we go to the Place de la Concorde and walk up the Champs-Elysées to the Place de l'Etoile and the Arc de Triomphe.
Finally, after having seen Madeleine Church, an homage paid to Greek and Roman classicism by the 19th. century, our walk comes to an end with the splendours of the Opéra house.

Desde el Centro de la Cindad salimos a la descubierta de la orilla derecha del Sena.
Despues de haber visto la plaza del Chatelet con sus teatros y su fuente llegamos pasando por los jardines de los palacios del Luvre al museo que visitaremos. Al salir del museo pasamos por la plaza de la Concordia para caminar por una de las más célebres avenidas del mundo que son los Campos-Eliséos hasta la plaza de la Estrella y el Arco de Triumfo - Por fin, despues de haber visto la Magdalena, homenáge del siglo XIX al clasicismo período greco-romano, terminamos nuestro paseo con los fastes de la Ópera.

Vue sur la Seine et les ponts depuis l'Eglise Saint-Gervais.
Blick auf die Seine und die Brücken von der Kirche Saint-Gervais aus.
View on the Seine and the bridges from Saint-Gervais Church.
Vista sobre el Sena y los puentes desde la Iglésia San-Gervais.

La place du parvis Notre-Dame et la cathédrale (1163-1260).
Der Vorplatz von Notre-Dame und die Kathedrale (1163-1260).

The place of Notre-Dame parvis and the Cathedral (1163-1260).
La plaza del Atrio Nuestra-Señora y la catedral (1163-1260).

▲

Vue générale depuis les tours de Notre-Dame vers la colline de Montmartre.

Gesamtansicht in Richtung Montmartre-Hügel von den Notre-Dame-Türmen aus.

General view from Notre-Dame towers towards Montmartre hill.

Vista General desde las torres de Nuestra-Señora hacia la colina de Montmartre.

◀

La Seine et la cathédrale Notre-Dame au soleil couchant.

Die Seine und die Kathedrale Notre-Dame bei-Sonnenuntergang.

The Seine and Notre-Dame Cathedral at sunset.

El Sena y la catedral Nuestra-Señora a la Puesta del Sol.

▶

Paris sous la neige.

Das verschneite Paris.

Paris under the snow.

Paris bajo la nieve

▶
La tour Saint Jacques (Hauteur 52 m).
Der Saint-Jacques-Turm (52 m hoch).
Saint-Jacques tower (52 metres high).
La Torre Santiago (altura 52 m.)

◀
La fontaine de la place du Châtelet (1808).
Der Brunnen des Châtelet-Platzes (1808).
The fountain of the Place du Châtelet (1808).
La Fuente de la plaza del Châtelet. (1808).

▼
La statue de Jeanne d'Arc - Place des Pyramides.
Die Statue der Jeanne d'Arc-Pyramidenplatz.
Joan of Arc statue - Place des pyramides.
La Estatua de Juana d'Arco - Plaza de las Pirimidas.

▲
L'Arc de triomphe du Carrousel.
Der Triumphbogen des Carrousels.
The "Arc de Triomphe du Carrousel".
El Arco de Triomfo del Carrusel.

▼
Les jardins et le Palais du Louvre: au centre, l'arc de triomphe du Carrousel.
Die Gärten und der Louvre-Palast: in der Mitte, der Triumphbogen des Carrousels.
The Gardens and the Louvre Palace: in the middle, "the Arc de Triomphe du Carrousel".
Los jardines y el Palacio del Luvre: en el centro, el Arco de Triomfo del Carrusel.

Le Louvre

Les jardins et les palais du Louvre couvrent, aujourd'hui, une superficie de plus de 40 hectares. Venant des Tuileries, nous traversons les parterres tracés en 1909 sur l'emplacement du palais des Tuileries. Un ensemble de 18 statues de Maillol précède l'Arc de Triomphe du Carrousel, éxécuté de 1806 à 1808. De part et d'autre, le long de la Seine, le pavillon de Flore, le long de la rue de Rivoli, le pavillon de Marsan.
Après la place du Carrousel, nous trouvons le nouveau Louvre, construit par PERCIER et FONTAINE sous le premier Empire puis par VISCONTI et LEFUEL sous le second Empire.
Nous abordons, enfin, le vieux Louvre par la célèbre Cour Carrée qui réunit de remarquables éléments architecturaux: façade de Pierre LESCOT; travaux de LE MERCIER et de LE VAU, entre autres, le Pavillon de l'Horloge; sur la façade Est, colonnade de Claude PERRAULT.
Autrefois palais des rois et princes de France, le Louvre est aujourd'hui le palais des Arts et abrite un des plus riches musées du monde.

Die Gärten und der Palast des Louvre bedecken heute eine Oberfläche von mehr als 40 ha. Vom Concorde-Platz kommend durchqueren wir die 1909 anstelle des fruheren Tuilerien-Palastes bepflanzten Anlagen. 18 Statuen von A. Maillol weisen zum Triumphbogen des Carrousel (1806 bis 1808). Entlang der Seine steht der Pavillon de Flore, entlang der rue de Rivoli der Pavillon de Marsan. Auf den Platz des Carrousel folgt der jüngste Teil des Louvre, unter Napoleon I. von PERCIER und FONTAINE und unter Napoléon III. von VISCONTI und LEFUEL errichtet.

The Palais du Louvre and its gardens at present cover an area exceeding 40 hectares.
Coming from the Tuileries, you cross flower beds drawn in 1909 on the site of the former Palais des Tuileries. A group of 18 statues by Maillol leads to the Arc de Triomphe du Carrousel erected from 1806 to 1808.
On each side, along the river Seine, you can see the Pavillon de Flore and along Rivoli Street, you can see the Pavillon de Marsan.
Behind the Place du Carrousel, you see the new Louvre which was built by Percier and Fontaine under the 1 st. Empire, then by Visconti and Lefuel under the 2 nd. Empire.
You finally enter the old Louvre through the famous Cour Carrée in which are to be seen remarkable architectural elements such as the façade, a colonnade by Perrault.
Formerly, the Louvre was the palace of the kings and princes of France. To-day, it is the palace for the Arts and it houses one of the richest museum in the world.

Los jardines y los palacios del Luvre cubren hoy una superficie de mas de 40 hectáreas Llegando de las Tullerías, atravesamos los parterres trazados en 1909 en el solor que ocupaba el palacio de lasTullerías. Un conjunto de 18 estatuas de Maillol precedan del Arco de Triumfo del Carrusel, ejecutado de 1806 a 1808. Por una y otra parte, a lo largo del Sena, el Pabellón de Flora y a lo largo de la calle de Rivoli: el Pabellón de Marsan.
Luego de cruzar la plaza del Carrusel, encontramos el Nuevo Luvre, construido por Percier y Fontaine bajo el Primer Imperío y por Visconti y Lefuel bajo el Segundo Imperío.
Por último llegamos al Viejo Luvre por el célebre Patio cuadrado donde se encuentran reunidos notables elementos arquitectónicos: la fachada de Pedro Lescot (Siglo XVI) completada en el siglo XVII por los trabajos de Le Mercier, y de Le Vau, entre otros el Pabellón del Reloj; en la fachada Este, la columnata de Claudio Perrault.
Antiguamente palacio de los reyes y principes de Francia el Luvre es hoy el palacio de los Artes y encierra uno de los más ricos museos del mundo.

La place du Carrousel et le palais du Louvre.
Der Carrousel-Platz und der Louvre-Palast.
Carrousel Place and Louvre Palace.
La Plaza del Carrusel y el Palacio del Luvre.

Ecole de Rhodes vers 190 av. J.C.: « La Victoire de Samothrace ».
Schule von Rhodos (um 190 v.C.) « Der Sieg von Samothracien ».
School of Rhodes 190 b.c. The "Victory of Samothrace".
Escuela de Rhodes hacia 190 antes de J.C.: « la Victoria de Samothrace ».

Art Grec Hellénistique: « Vénus De Milo ». Sculpture Egyptienne vers. 2500 av. J.C.: « Scribe accroupi ». Andrea Mantegna (Isola di Carturo, Padova, 1431 - Mantova 1506): « Saint Sébastien » (détail).

Griechisch-Hellenistische Kunst « Venus von Milo ». Agyptische Skulptur (um 2500 v.C.) «Sitzender Schriftgelehrter». Andrea Mantegna (Isola di Carturo 1431 - Mantua 1506): « Sankt Sebastian ».

Graeco-Hellenistic Art "Venus of Milo" Egyptian Sculpture 2500 b.c. "Crouched Scribe". Andrea Mantegna (Isola di Carturo Padova 1431 - Mantua 1506): "Saint Sebastian". (part.)

Arte Greco Helenistico: « Venus de Milo ». Escultura Egipciana hacia 2500 antes de J.C.: « Escritor acurrucado ». Andrea Mantegna (Isola di Carturo, Padova, 1431 - Mantova 1506): « San Sebastian ».

Leonardo da Vinci (Vinci 1452 - Clos Lucé 1519): la « Joconde ».
Die « Gioconda » von Leonardo da Vinci.

The "Gioconda" by Leonardo da Vinci.
La « Joconde » de Leonardo de Vinci.

Raphaël [Raffaello Santi o Sanzio] (Urbino 1483 - Rome 1520): « Portrait de Jeanne d'Aragon ».

Raffaello [Raffaello Santi oder Sanzio] (Urbino 1483 - Rom 1520): « Bildnis der Johanna von Aragonien ».

"Joan of Aragon Portrait" by Raffaello [Raffaello Santi or Sanzio] (Urbino 1483 - Rome 1520).

Retrato de Juana de Aragón por Rafaël (Urbino 1483 - Rome 1520)

▶
Greco [Domenicos Thetocopoulos, dit le] (Creta 1541 - Toledo 1614): « Le Christ en croix adoré par les donateurs ».

Greco [Domenicos Thetocoulos, genannt G.] (Creta 1541 - Toledo 1614): « Christus am Kreuz, von Stiftern angebetet ».

"Christ Crucified Adored by the Givers" by Greco [called Domenicos Thetocopoulos] (Crete 1541 - Toledo 1614).

« El Cristo en la cruz adorado por les donadores » por Domenicos Thetocopoulos, llamado el Greco (Creta 1541 - Toledo 1614).

◀
Michel-Ange [Buonarroti] (Caprese 1475 - Roma 1564):

Michelangelo [Buonarroti] (Caprese 1475 - Rom 1564): « Der Sklave ».

"The Slave" by Michelangelo [Buonarroti] (Caprese 1475 - Rome 1564).

« El Esclavo » por Miguel Angel (Caprese 1475 - Roma 1564).

Tintoret [Jacopo Robusti, dit le] (Venise 1518-1594): « Suzanne au bain ».

Tintoretto [Jacopo Robusti, genannt T.] Venedig 1518-1594): « Susanna im Bade ».

"Susan at bath" by Tintoretto [called Jacopo Robusti] (Venice 1518-1594).

« Susana en el baño » por Jacopo Robusti llamado el Tintoret (Venise 1518-1594).

Le Titien [Tiziano Vecellio] (Pieve di Cadore 1477? - Venezia 1576): « Portrait de François Ier ».

Tiziano [Tiziano Vecellio] (Pieve di Cadore 1477? - Venedig 1576): « Bildnis von Franz I. ».

"Portrait of Francois I" by Tiziano [Tiziano Vecellio] (Pieve di Cadore 1477? - Venice 1576).

« Retrato de Francisco Ier » por Tiziano Vecellio (Cadore 1477 - Venecia 1576).

Pierre Paul Rubens (Sigen 1577 - Anvers 1640): « Marie de Médicis: la prise de Juliers.

Pierre Paul Rubens (Sigen 1577 - Antwerpen 1640): « Marie Medicis: die Besetzung von Juliers ».

"Maria of Medici: the taking of Juliers" by Pierre Paul Rubens (Sigen 1577 - Anvers 1640).

« Maria de Médicis »: la Toma de Juliers por Pedro Paulo Rubens (Sigen 1577 - Anvers 1640).

▶
Jean-Antoine Watteau (Valenciennes 1684 - Nogent sur Marne 1721): « Gilles ».

Jean-Antoine Watteau (Valenciennes 1684 - Nogent sur Marne 1721): « Gilles ».

"Gilles" by Jean-Antoine Watteau (Valenciennes 1684 - Nogent sur Marne 1721).

« Gilles » por Juan-Antonio Watteau (Valenciennes 1684 - Nogent sur Marne 1721).

▼
Nicolas Poussin (Villers 1594 - Roma 1665): « L'enlèvement des Sabines ».

Nicolas Poussin (Villers 1594 - Rom 1665): « Raub der Sabinerinnen ».

"The rape of the Sabines" by Nicolas Poussin (Villers 1594 - Rome 1665).

« El rapto de las Sabinas » par Nicolas Poussin (Villers 1594 - Roma 1665).

◀

Claude Lorrain [Claude Gelée, dit] (Chamagne, magne, Mirecourt 1600 - Rome 1682). « Ansicht eines Seehafens ».

Claude Lorrain [Claude Gelée, genannt L.] (Cha-Mirecourt, 1600 - Roma 1682): « Vue d'un port de mer ».

"View of a Seaport" by Claude Lorrain [Claude Gelée, called L.] (Chamagne Mirecourt 1600 - Rome 1682).

« Vista de un puerto de mar » Claudio Gelée llamado Claudio Lorrain (Chamagne, Mirecourt 1600 - Roma 1682).

▼

Georges De La Tour (Vic sur Seille 1593 - Lunéville 1652): « Adoration des bergers ».

Georges De La Tour (Vic sur Seille 1593 - Luneville 1652): « Anbetung der Hirten ».

"The adoration of shepherds" by Georges De La Tour (Vic sur Seile 1593 - Luneville 1652).

« Adoracion de los pastores » por Georges de la Torre (Vic s/Seille 1593 - Lunéville 1652).

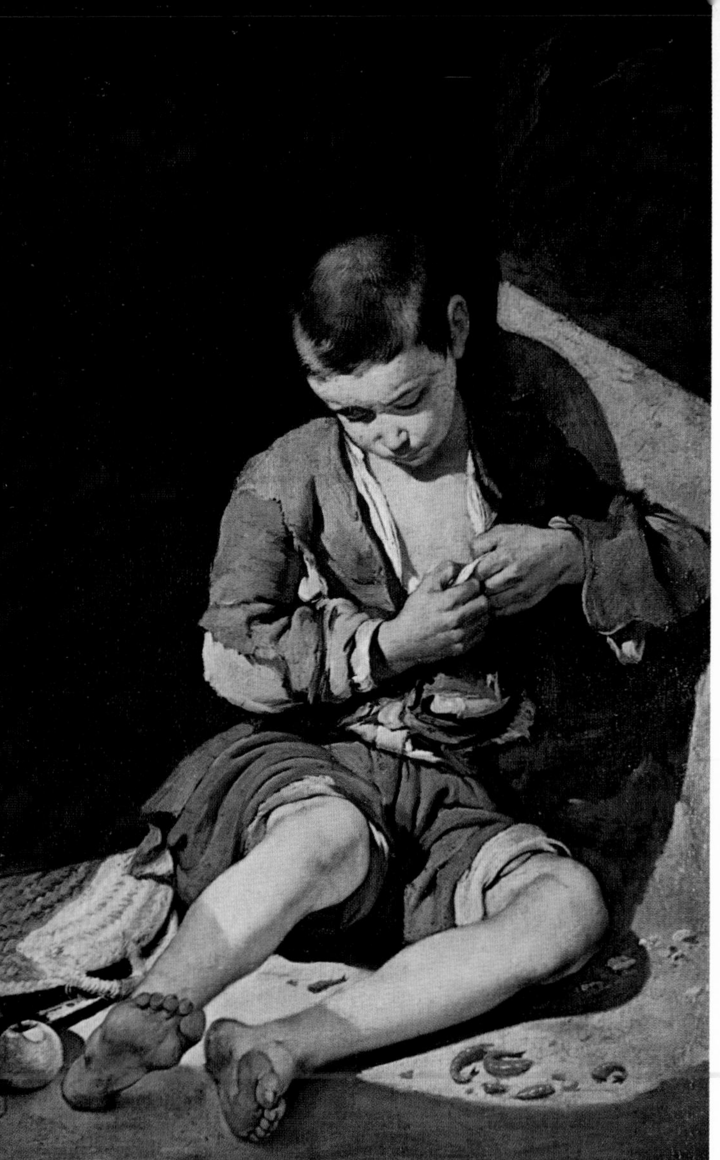

◀
Murillo [Bartolomé Esteban Murillo] (Sevilla 1618 - 1682): « Le jeune mendiant ».

Murillo [Bartolomé Esteban Murillo] (Sevilla 1618-1682): « Der junge Bettler ».

"The young beggar" by Murillo [Bartolomé Esteban Murillo] (Seville 1618-1682).

« El joven mendigo » por Bartolomé Esteban Murillo llamado Murillo (Seville 1618-1682).

▶
Camille Corot (Paris 1796, Ville d'Avray 1875): « La cathédrale de Chartres ».

Camille Corot (Paris 1796 - Ville d'Avray 1875): « Die Kathedrale von Chartres ».

"The cathedral of Chartres" by Camille Corot (Paris 1796 Ville d'Avray 1875).

« La Catedral de Chartres » por Camilo Corot (Paris, 1796 Cindad de Avray 1875).

▶
José Ribera [dit El Españoleto] (Valencia 1589 - Napoli 1652): « Le pied bot ».

José Ribera [genannt El Españoleto] (Valencia 1589 - Neapel 1652): « Der krumme Fuss ».

"The deformed foot" by José Ribera called El Españoleto (Valencia 1589 - Naples 1652).

« El pié potizambo » por José Ribéra llamado El Españoleto (Valencia 1589 - Napoli 1652).

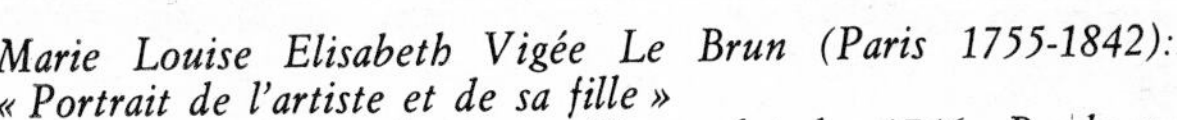

Marie Louise Elisabeth Vigée Le Brun (Paris 1755-1842): « Portrait de l'artiste et de sa fille »
Francisco De Goya y Lucientes (Fuentedetodos 1746 - Bordeaux 1828): « Dona Rita de Barrenechea ».

Francisco De Goya y Lucientes (Fuentedetodos 1746 - Bordeuax 1828): « Doña Rita von Barrenechea ».
Marie Louise Elisabeth Vigée Le Brun (Paris 1755-1842): « Selbstbildnis der Künstlerin und deren Tochter ».

"Portrait of the artist and her daughter" by Marie Louise Elisabeth Vigée Le Brun (Paris 1755-1842).
"Dono Rita De Barrenechea" by Francisco De Goya y Lucientes (Fuentedetodos 1746 - Bordeaux 1828).

« Retrato del artista y de su hija » por Maria Luisa Elisabeth Vigée Le Brun (Paris 1755 - 1842).
« Doña Rita de Barrenechea » por Francisco De Goya y Lucientes (Fuentedetodos 1746 - Bordeaux 1828).

▲

Jean-François Millet (Gruchy 1814 - Barbizon 1875): « Les glaneuses ».

Jean-François Millet (Gruchy 1814 - Barbizon 1875): « Die Ährenleserinnen ».

"The Gleaners" by Jean-Francois Millet (Gruchy 1814 - Barbizon 1875).

« Los Espigadoras » por Juan Francisco Millet (Gruchy 1814 - Barbizon 1875).

▶

Les jardins du Louvre, et statue de Maillol.

Die Gärten des Louvre und Statuen von Maillol.

The Louvre gardens and statue by Maillol.

« Los Jardines del Luvre y estatuas de Maillol.

◀

Antoine-Jean Gros (Paris 1771-1835): « Le Général Bonaparte au Pont d'Arcole ».

Antoine-Jean Gros (Paris 1771-1835): « Der General Bonaparte bei der Brücke von Arcole ».

"The general Bonaparte at Arcole bridge" by Antoine Jean Gros (Paris 1771-1835).

« El General Bonaparte en el puente de Arcole » por Antonio Juan Gros (Paris 1771 - 1835).

◀
Entrée des jardins des Tuileries.
Eingang zu den Tuilerien-Gärten.
Entrance to the gardens of Tuileries.
Entrada de los Jardines de las Tullerias.

▼
Place de la Concorde.
Concorde-Platz.
Place de la Concorde.
Plaza de la Concordia.

▲

La Fontaine de la place de la Concorde et l'obélisque de Louqsor.

Der beleuchtete Brunnen des Concorde-Platzes und der Obelisk von Luxor.

The Place de la Concorde and, at background the Louqsor Obelisk illuminated.

La Fuente de la plaza de la Concordia y el obelisco de Louqsor.

▶

« Renommée sur un cheval ailé » de Coysevox.

« Der Ruhm auf einem beflügelten Pferd » von Coysevox.

"Fama on a winged horse" by Coysevox.

« La Fama sobre un caballo alado » de Coysevox.

▲

Le petit Palais construit pour l'Exposition Universelle de 1900; il abrite le Musée des Beaux-Arts de la ville de Paris.

Der « Petit Palais », zur Welt-ausstellung 1900 errichtet.
Unter seinem Dach gibt es ständig Kunstausstellungen.

The Petit Palais built for the Universal exhibition of 1900. Inside, the Museum for Fine Arts of Paris.

El Pequeño Palacio, edificado para la exposicion Universal de 1900, abriga el museo de las Bellas-Artes de la cindad de Paris.

▶

La Seine au crépuscule, vue du Pont Alexandre III, à gauche, la tour Eiffel.

Die Seine bei Dämmerlicht, Blick von der Brücke Alexander III aus; links der Eiffelturm.

The Seine at dusk, view from Alexander III bridge on the left the Eiffel Tower.

El Sena en el crépúsculo, vista del Puente Alejandro III en la izquierda la Torre Eiffel.

◀

Le 14 Juillet aux Champs-Elysées.
14. Juli auf den Champs-Elysées.
"14th of July" on the Champs-Elysées.
El 14 de julio en los Campos-Elíseos.

▶

Avenue des Champs-Elysées.
Avenue der Champs-Elysées.
Champs-Elysées avenue.
Avenida de los Campos-Elíseos.

◀

La place de l'Etoile et l'Arc de Triomphe (1806-1836) illuminé.

Der Etoile-Platz bei Nacht und der beleuchtete Triumphbogen. (1806-1836).

The Place de l'Etoile by night.

La plaza de la Estrella y el Arco de Triomfo iluminado (1806-1836).

L'Arc de Triomphe (détail).

« La Marseillaise » œuvre de Rude, commémore le départ des volontaires de 1792.

« Die Marseillaise » Werk von Rude, zur Erinnerung an den Aufbruch der Freiwilligen 1792.

"La Marseillaise" by Rude celebrates the volunteers leaving for the war in 1792.

« La Marsellesa » obra de Rude, commemora la partida de los Voluntarios de 1792.

L'Arc de Triomphe (détail).

« Le Triomphe de 1810 » sculpté par Cortot, célèbre la paix de Vienne.

« Der Triumph von 1810 » Skulptur von Cortot, feiert den Frieden von Wien.

"Le Triomphe de 1810" by Cortot celebrates the Vienna peace.

« El Triumfo de 1810 » escultado por Corot, celebra la paz de Viena.

◀

L'Arc de Triomphe (hauteur 50 m, larg. 45 m). Sous la voûte repose le soldat inconnu.
Der Triumphbogen (50 m hoch, 45 m breit). Unter dem Gewölbe rucht der Unbekannte Soldat.
The Arc de Triomphe (50 metres high and 45 metres width). Under the vault lies the Unknown Soldier.
El Arco de Triumfo (alto 50 m, ancha 45 m). Debajo de la bóveda, reposa el soldado desconocido.

▲

L'église de la Madeleine, commencée en 1806, consacrée en 1842.
Eglise de la Madeleine (1806 begonnen, 1842 geweiht).
Started in 1806, the Madeleine Church was consecrated in 1842.
La Iglesia de la Magdalena, empezada en 1806, consagrada en 1842.

◀

Le marché aux fleurs, un peintre..., place de la Madeleine.
Der Blumenmarkt, ein Maler... place de la Madeleine.
The flower market, a painter... Place de la Madeleine.
El mercado de las flores, un pintor..., plaza de la Magdalena.

▶

La place Vendôme (1685-1720) et la colonne de la Grande Armée (1810).
Vendôme-Platz (1685-1720) und die Säule der Grossen Armee (1810).
Place Vendôme (1685-1720) and the "Grande Armée" column (1810).
La plaza Vendôme (1685-1720) y la columna de la Gran Armada (1810).

L'Opéra

Construit entre 1861 et 1875 par Charles GARNIER avec la volonté de créer un style original, c'est un des plus vastes théâtres lyriques du monde. On y sent un souci constant de la décoration et de l'apparat comme en témoignent le magnifique escalier de marbre blanc, les fresques des voûtes, la somptueuse harmonie rouge et or de la salle.

Von 1861 bis 1875 von Charles GARNIER mit dem Anspruch gebaut, einen eigenen Stil zu kreieren, ist eins der grössten Opernhaüser der Welt. Man spürt den Hang zu Dekor und Pomp, wovon die grosszügige Treppe aus weissem Marmor, die Fresken der Gewölbe und die prunkvolle Harmonie in Rot und Gold des Zuschauerraumes Zeugnis ablegen.

The Paris Opéra was built between 1861 and 1875 by Charles Garnier who wished to create an original style. It is one of the largest opera-houses in the world.
Emphasis is laid on decoration and pomp: a magnificent white marble staircase, frescoes on the vaults, the gorgeous harmony in gold and red inside.

Construida entre 1861 y 1875 por Carlos Garnier con la voluntad de crear un estilo original, es uno de los más vastos teatros lirico del mundo. Se puede dar uno cuenta del constante cuidado de la decoración y del aparato como testimonian la magnifica escalera de màrmol blanco, la pintura de la boveda y la suntuosa armonia rojo y oro de la sala.

Le théâtre de l'Opéra (1862-1875) Académie Nationale de Musique.

Die Oper (1862-1875). Nationale Musik-Akademie.

The Théâtre de l'Opéra (1862-1875). National Academy of Music.

El Teatro de la Ópera (1862-1875) Academia Nacional de Musica.

Le Grand Escalier.
Die breite Treppe.
The Grand Staircase.
La Gran Escalera

La fosse de l'orchestre et le Grand Rideau de la scène.
Der Orchesterraum und der Grosse Vorhang.
Orchestra pit and the Big Drop-Scene.
El Hoyo de la orquesta y el Gran Telon de la Escena.

Page suivante: la façade principale illuminée.
Folgende Seite: Die beleuchtete Hauptfassade.
Following page: The main façade illuminated.
Pagina seguente: La fachada principal iluminada.

▼
Le grand lustre et le plafond de la salle (peintures de Marc Chagall).
Der grosse Kronleuchter und die von Marc Chagall 1964 ausgemalte Decke.
The big light and the ceiling (paintings by Marc Chagall).
El Gran Lustre y el Techo de la sala (pinturas de Marc Chagall).

CHOREGRAPHIE
ACADEMIE

Le pont Alexandre III (1900), au fond le dôme de l'église Saint-Louis des Invalides et la tour Maine-Montparnasse.
Die Alexander III - Brücke (1900); in Hintergrund die Kuppel der Kirche Saint-Louis des Invalides und das Maine-Montparnasse-Hochhaus.
Alexander III bridge (1900), at the bottom the church dôme of Saint Louis des Invalides and the Tower Maine-Montparnasse.
El Puente Alejandro III (1900), en el fondo la cúpulas de la iglesia San Luis de los Inválidos y la Torre Maine-Montparnasse.

De Notre-Dame au Trocadéro

Dans l'île de la Cité, deux témoins émouvants du premier palais de nos rois, la Conciergerie et la Sainte-Chapelle. La Conciergerie, geôle d'état, toute pleine encore de la rumeur des prisonniers qui s'y succédèrent. La Sainte-Chapelle exprimant à la perfection la légèreté, la spiritualité de l'art ogival. Sur la rive gauche, l'église Saint-Germain-des-Prés bâtie aux XIè et XIIè siècles rapelle la très puissante abbaye bénédictine, prodigieux foyer culturel jusqu'au XVIIè siècle. Le goût des choses de l'esprit s'est réfugié dans les cafés littéraires du quartier. Après ces étapes médiévales, nous retrouvons le grand siècle avec l'hôtel et l'église des Invalides où repose l'Empereur NAPOLEON 1er. Enfin, la Tour Eiffel et le palais de Chaillot nous ramènent aux temps modernes.

Auf der Insel der Cité gibt es zwei bewegende Zeugen früherer Königspaläste: die Conciergerie und die Sainte Chapelle. Die Conciergerie war Staatsgefängnis und ist noch heute erfüllt vom Lärm der aufeinanderfolgenden Gefangenen. Die Sainte Chapelle drückt das Leichte und die Durchgeistigtheit der gotischen Kunst meisterhaft aus.

Auf dem linken Flussufer liegt die Kirche Saint Germain-des-Prés aus dem XI. und XII. Jahrh. Sie erinnert an die mächtige Benediktinerabtei, bis ins XVII. Jahrh. bedeutendes Kulturzentrum. Die Freude an geistigen Auseinandersetzungen zog sich nun in die literarischen Cafés dieses Viertels zurück.
Nach diesem Rückblick ins Mittelalter finden wir uns im « grand siècle » wieder mit Heim und Kirche der Invaliden, wo auch der Kaiser Napoleon ruht.. Schliesslich bringen uns der Eiffelturm und das Palais de Chaillot wieder in die neutige Zeit zurück.

On the City island, two remnants of the first palace of the French kings are still moving us after so many years: the Conciergerie and the Sainte-Chapelle.
The Conciergerie was a state jail; inside, you can imagine the pitiful lament of its prisoners held there at various periods of the French history.
The Sainte-Chapelle illustrates the perfection, lightness and spirituality of the gothic art. On the left bank, Saint-Germain-des-Près church was built in the 11 th. and 12 th. centuries; it recalls the fact that a powerful benedictine abbey stood there, a famous cultural centre up to the 18 th. century.
"Intellectuals" have found a new home in the "litterary cafés" of this district.
After that visit in medieval ages, we rediscover the "great century" with the Invalides church and hotel where Napoléon I° lies. Finally, the Eiffel tower and the Palais de Chaillot brings us back to modern times.

En la isla de Cuindad, dos testimonios conmovedores del primer palacio de nuestros reyes, la Conserjeriá y la Santa Capilla.
La Conserjeriá, carcel del Estado, todavia llena del rumor de los presos que se sucedieron. La Santa Capilla expresando a la perfección la ligereza y la espiritualidad del arte ojival.
Sobre la orilla izquierda, la iglesia Saint Germain-des-Prés edificada en los siglos XI y XII recuerda la gran Omnipotencia Abadia benedictina, prodigioso hogar cultural hasta el siglo XVII. El gusto de las cosas del espíritu se ha refugiado en los bares literarios del barrio.
Despues de estas etápas medievales, volvemos a encontrar el gran siglo con el hotel y la iglesia de los Invalidos donde descansa el Emperador Napoleón 1er. Por fin, la Torre Eiffel y el palacio de Chaillot nos hace regresar a los tiempos modernos.

Panorama du haut des Tours de Notre-Dame.
Blick von den Notre-Dame Türmen aus.
Panorama from the top of Notre-Dame Towers.
Panorama desde lo alto de las Torres de Nuestra-Señora.

▲

La Conciergerie et le pont au Change illuminés.

Die beleuchtete Conciergerie und der « Pont au Change » (Wechselsbrücke).

The Conciergerie and the Bridge au Change, illuminated.

La Conserjería y el puente del Cambio iluminados.

▶

Quais de la Seine et ses pêcheurs.

Seine-Ufer mit Fischern.

Seine-sides and the fishermen.

Muelles del Sena y sus pescadores.

◀

La Flèche de Notre-Dame et la Seine en amont de la Cathédrale.

Die Turmspitze von Notre-Dame und die Seine (stromaufwärts der Kathedrale).

Notre-dame Spire and the Seine upriver from the Cathedral.

La Aguya de Nuestra-Señora y el Sena en amón de la Catedral.

▲

La Première Horloge de Paris fixée en 1334 sur la Tour appelée Tour de l'Horloge. (décorée et sculptée par Germain Pilon au XVIe siécle).

Die Erste Pariser Turmuhr, die 1334 am sogenannten Uhrturm (von Germain Pilon dekoriert und gemeisselt XVIe) installiert wurde.

The First Clock of Paris fixed in 1334 on the Tower called "Clock Tower" (Decorated and sculptured by Germain Pilon in XVIe th. centurie)

El Primer Reloj de Paris instalado en 1334 sobre la Torre llamada Torre del Reloj (decorada y escultado por Germin Pilon en el siglo XVIe).

◀

Le pont Notre-Dame, le tribunal de commerce, la flèche de la Sainte Chapelle et la Conciergerie, vues de la rive droite.

Die Brücke Notre-Dame, das Handelsgericht. Blick auf die Turmspitze der Sainte-Chapelle und die Conciergerie vom rechten Ufer aus.

Notre-Dame bridge, the Court of Commerce, the Spire of Sainte-Chapelle and the Conciergerie on the right side.

El puente Nuestra-Señora, el tribunal del comercio. La Aguya de la Santa-Capilla y la Conserjería, vistas desde la orilla derecha.

◄
La Sainte Chapelle, joyau de l'art ogival, consacrée en 1248.
Die Sainte-Chapelle, Perle der spitzbogigen Kunst (1248 geweiht).
The Sainte Chapelle, jewel of ogival art, consecrated in 1248.
La Santa Capilla, joya del arte ogival, consagrada en 1248.

▼
La Sainte Chapelle: Chevet de la chapelle basse.
Die Sainte Chapelle: Apsis der unteren Kapelle.
The Sainte Chapelle, the low chapel.
La Santa Capilla, asiento de la Capilla baja.

▲

La Seine au quai des Orfèvres et le Pont Neuf (1578-1604).

Die Seine: « Quai des Orfèvres » und « Pont Neuf » (Neue Brücke) (1578-1604).

The Seine at quai des Orfèvres and the Pont Neuf (1578-1604).

El Sena en el Muelle de los orfevres y el Puente Nuevo (1578-1604)

▶

La petite place Fürstenberg.

Fürstengerg-Plätzchen.

Fürstenberg Place.

La pequeña plaza Fürstenberg.

X
MAGOTS
BOULEVARD SAINT GERMAIN
TAXIS
GALERIE DE FRAN
ALAN DAVI

◀
L'église St. Germain-des-Prés (XI-XII siècles).

Die Kirche Saint-Germain-des-Prés (XI-XII Jh.).

Saint Germain-des-Prés church (XI th and XII th century).

La Iglesia San Germain-des-Prés (Siglos XI y XII).

▶
Notre-Dame et les bouquinistes.

Notre-Dame und die « Bouquinisten ».

Notre-Dame and the "bouquinistes".

Nuestra-Señora y los libreros de libros viejos.

◀
Le Boulevard St. Germain, le clocher de l'Eglise Saint-Germain-des-Prés.

Boulevard Saint-Germain, der Glockenturm der Kirche Saint-Germain-des-Prés.

The Boulevard St. Germain, the bell tower of Saint-Germain des Prés church.

El Bulevar San Germin, el companario de la Iglesia San Germain-des-Prés.

▲

Tombeau de S. M. Napoléon Ier.
Das Grabmal von Napoleon I.
Napoleon 1 st grave at les Invalides.
El Sarcófago de Su Majestad Napoléon 1er.

◀▼

L'église et l'Hôtel des Invalides.
Die Kirche und das Invalidenheim.
The church and the Hôtel des Invalides.
La Iglesia y el Hotel de los Inválidos.

La tour Eiffel et les jets d'eau du Palais de Chaillot.
Die Wasserspiele des Palais de Chaillot und der Eiffelturm.
The Eiffel Tower and the watersprays of Palais de Chaillot.
La Torre Eiffel y sus surtidores de agua del Palacio de Chaillot.

▲

Le pont d'Iéna, la Seine et le Trocadéro.
Die Iena-Brücke, die Seine und Trocadero.
Iéna Bridge, the Seine and the Trocadero.
El Puente de Iena, el Sena y el Trocadero.

◄

La maison de Radio-France et la statue de la Liberté.
Der Französische Rundfunk und die Freiheitsstatue.
Radio-France and the Liberty statue.
El Edificio de Radio Francia y la Estatua de la Libertad.

►

Le pont Alexandre III (1897-1900).
Die Alexander III-Brücke.
The Alexander III Bridge.
El Puente Alejandro III (1897-1900).

1897
PONT ALEXANDRE III

De Notre-Dame aux Jardins du Luxembourg

Après un nouveau rendez-vous à Notre-Dame, notre promenade nous mènera, d'image en image, à travers le quartier latin, le Paris estudiantin de la montagne Sainte-Geneviève, le quartier Mouffetard, populaire, coloré, plein de vie; elle nous fera découvrir les harmonies différentes des trois jardins de cette partie de la rive gauche: le Luxembourg, le jardin des Plantes, le parc Montsouris.

Wieder von Notre-Dame ausgehend führt uns unser Gang durch das « Quartier Latin », das Studentenviertel von Paris, die Gegend um den Berg Sainte Geneviève, das Mouffetardviertel mit seiner Volkstümlichkeit, Buntheit und Lebensfulle und schliesslich in die drei in ihrer Harmonie sehr unterschiedlichen Parks dieses Teils des linken Seineufers: den Luxembourg-Park, den Botanischen Garten und den Park Montsouris.

We meet again in Notre-Dame and we proceed to the Latin Quarter walking through the Paris of students, the Sainte-Geneviève Mount, the colourful popular Mouffetard Street. In the course of the tour, we can admire three different harmonies with three beautiful gardens in that part of the left bank: Luxembourg, Jardin des Plantes, Montsouris Park.

Despues de una nueva cita a Nuestra-Señora, nuestro paseo nos llevara de image en image y de parte a parte del barrio latino, al Paris estudiantino de la montaña Santa-Genoveva, el barrio Mouffetard, popular, coloriado, lleno de vida; ella nos hara descubrir las armonias diferentes de los tres jardines de esta parte de la orilla izquierdias el Luxemburgo, el jardin de las Plantas, el parque Montsouris.

La place Ed. Rostand, la rue Soufflot et le Panthéon (1757-1780).

Edmond-Rostand-Platz, rue Soufflot und das Pantheon (1757-1780).

The place Ed. Rostand, rue Soufflot and the Panthéon (1757-1780).

La Plaza Edouardo-Rostand, la calle Soufflot y el Pantéon (1757-1780).

◀
Le Cœur du Quartier Latin: La Sorbonne.
Die Sorbonne: Herz des Quartier Latin.
The Sorbonne, heart of the latin quarter.
El corazon del Barrio Latin: La Sorbona.

▶
L'entrée de l'hôtel de Cluny (1485-1500).
Der Eingang Cluny-Hotels (1485-1500).
The Sorbonne. Entrance of the Hôtel de Cluny (1485-1500).
La Entrada del Hotel de Cluny (1485-1500).

◀▼
Jardin et palais (1615-1620) du Luxembourg.
Gärten und Palast (1615-1620) « Luxembourg ».
Garden and Palace (1615-1620) of Luxembourg.
Jardin y Palacio del Luxemburgo (1615-1620).

◄

Fontaine de Médicis (1620).
Medicibrunnen (1620).
Medicis Fountain (1620).
Fuente de Médicis (1620).

►

L'église Saint-Sulpice. Au premier plan la fontaine élévée par Visconti.
Die Kirche Saint-Sulpice und der von Visconti errichtete Brunnen.
Saint Sulpice Church and, the fountain which Visconti ordered to build.
La Iglesia San Sulpicio. En primer plano la fuente elevada por Visconti.

▼

L'église Sainte-Geneviève, commencée en 1764 sur les plans de Soufflot qui termina la construction en 1790, devint sous le nom de Panthéon le temple laïque des gloires nationales aprés avoir accueilli, en 1885, les cendres de Victor Hugo.

Die Kirche Sainte Geneviève, begonnen 1764, nach Plänen von Soufflot, der den Bau 1790 beendete, wird unter dem Namen Pantheon weltlicher Tempel nationaler Beruhmtheiten, nachdem er seit 1885 die Urne Victor Hugos beherbergt.

Sainte-Geneviève church was begun in 1764 on Soufflot's design; he completed the church in 1790. It became the laïc temple of national glories under the name of Panthéon and received the ashes of Victor Hugo in 1885.

La Iglesia Santa-Genoveva, empezada en 1764 con los planos de Soufflot que termino la construccion en 1790, se volvio con el nombre de Pantéon el templo laico de las glorias nacionales despues de haber acogido las cenizas de Victor Hugo.

▲

Jardins du Luxembourg: la fontaine de Carpeaux.
Der Luxembourg-garten: der Brunnen von Carpeaux.
Luxembourg Garden: Carpeaux fountain.
Jardin del Luxemburgo: Fuente de Carpeaux.

▼

Quartier Mouffetard: le célèbre marché, l'Eglise Saint-Médard.
Mouffetard-Viertel der berühmte Markt, die Kirche Saint-Médard.
Quartier Mouffetard: the famous market, Saint-Médard church.
Barrio Mouffetard: la Iglesia San-Médard.

▲
Le Jardin des Plantes: le pavillon de la Zoologie.
Der « Jardin des Plantes » (Pfanzengarten): der Tierpavillon.
The "Jardin des Plantes": the Zoological Pavilion.
El jardin de las Plantas: El pabellon de la zoologia.

▶
La statue de Lamarck.
Statue des Lamarck.
Lamarck statue.
La estatua de Lamarck.

Le Parc Montsouris.
Park Montsouris
Montsouris-Park.
El parque Montsouris.

De Notre-Dame aux Buttes Chaumont

Rive droite, à hauteur de Notre-Dame, l'Hôtel de Ville domine la place qui descendait autrefois jusqu'à la Seine et portait le nom de Grève. On y exécutait publiquement les condamnés.
En amont, l'hôtel de Sens représente, dans le quartier du Marais, la note médiévale tandis que la place des Vosges construite par HENRI IV, donne le ton à tous les hôtels particuliers qui peuplèrent aux XVIIè et XVIIIè siècles l'ancien marécage devenu quartier à la mode.
Du Sacré Coeur, nous contemplerons Paris avant d'explorer la Butte de Montmartre, royaume des peintres, des poètes et des bohêmes dont nous retrouverons les cabarets familiers puis nous redescendrons vers Pigalle et ses « boîtes de nuit ».
Nous terminerons notre album de Paris avec les images des grands parcs de la rive droite, parcs Monceau et des Buttes Chaumont, bois de Boulogne et de Vincennes.

Auf dem rechten Seineufer beherrscht das Rathaus auf der Höhe von Notre Dame den Platz, der früher bis zur Seine hinunterging und Grève-Platz niess. Dort wurden Verbrecher öffentlich hingerichtet.
Stromaufwärts ist das Hôtel de Sens im Marais-Viertel charakteristich für das Mittelalter, während der « Place des Vosges », den Heinrich IV. anlegen liess, den Privatpalais, die die ehe maligen Sümpfe im XVII. und XVIII. Jahrn. ersetzten und grosse Mode waren, eine besondere Note gibt.

Von Sacre Coeur aus bewundern wir Paris, ehe wir die Butte Montmartre erforschen, das Reich der Maler, Poeten und Weltenbummler, deren familiäre Kabaretts wir entdecken. Schliesslich steigen wir ninunter nach Pigalle mit seinen Nachtkabaretts.
Wir beenden unser Paris-Album mit Photos von den grossen Parks des rechten Seineufers: dem Park Monceau, dem der Buttes Chaumont, dem Bois (Wald) de Boulogne und dem Bois de Vincennes.

On the right bank, opposite Notre-Dame, the Townhall (l'Hôtel de Ville) stands on a square which formerly reached the river; it had then another name: la Place de Grève. Capital punishments took place here.
Upstream, the Hôtel de Sens gives a medieval touch in the Marais area, and the Place des Vosges which was designed by Henri IV strikes the tone for the private hotels all around which were built on former marshes in the 17 and 18 th. centuries becoming the « fashionable district » of the time.
From the Sacré-Cœur, we can behold Paris before walking through the Butte Montmartre, the kingdom of painters, poets, where all sorts of unconventionnal people can be seen; we discover their familiar pubs and the famous night-clubs at Pigalle.
This book on Paris ends off with views of the main parks of the right bank: Monceau, Buttes-Chaumont, and Vincennes.

En la orilla derecha, a la altura de Nuestra-Señora, el Ayuntamiento domina la plaza que descendia antiguamente hasta el Sena y el llevaba el nombre de Playa. Se ejecutava en publico a los condenados.
Mas arriba, el Hotel de Sens representa en el barrio del Marais la nota medieval mientras que la plaza de los Vosgos construida por Enrique IV, da el tono a todos los hoteles particulares que poblaron en los siglos XVII y XVIII el antiguo terreno pantanoso que se ha vuelto barrio a la moda.
Desde el Sagrado-Corazon, contemplaremos Paris, antes de explorar la colina de Montmartre, reino de los pintores, de los poetas y bohemios donde encontraremos las tabernas familiares y después volveremos a bajar en direccion de Pigale y sus « salas de noche ».
Terminaremos nuestro álbum de Paris con las imagenes de los grandes parques de la orilla derecha, parques Monceau y de las colinas Chaumont, bosque de Bolonia y de Vincennes.

Reflets sur la Seine autour de la Cathédrale Notre-Dame au crépuscule.

Romantische Abenddämmerung auf der Seine bei Notre Dame.

Reflects on the Seine at twilight and Notre-Dame Cathedral illuminated (1163-1330).

Reflejos sobre el sena abrededor de la Catedral Nuestra-Señora en el crépúsculo.

◄
La Cathédrale Notre-Dame: la rosace nord.
Die Kathedrale Notre-Dame: Die nördliche Rosette.
Notre-Dame Cathedral: north rose.
La Catedral Nuestra-Señora: el rosás norte.

▼
Peintre de la rive gauche; au fond l'abside de la cathédrale Notre-Dame, vue prise du pont de l'Archevêché.

Maler des linken Ufers: im Hintergrund, die Apsis der Kathedrale Notre-Dame (Blick von der Brücke des Erzbischofspalastes aus).

Painter on the left bank; at the botton the apse of Notre-Dame.

Pintor de la orilla izquierda; en el fondo el abside de la catedral Nuestra-Señora, vista cojida desde el puente del Arzobispado.

◀▲
L'Hôtel de Ville et le Pont d'Arcole.
Rathaus und Arcole Brücke.
The Hôtel de Ville and the Arcole Bridge.
El Ayuntamiento y el puente de Arcole.

LOUIS XIII
1610 - 1643
CETTE STATUE
OEUVRE DE DUPATY ET CORTOT
A REMPLACE

◀

La Place des Vosges (1605-1612). La Statue et le Square Louis XIII.
Der Place des Vosges - Die Statue und der Square Louis XIII.
The Place des Vosges, the Statue and the Square Louis XIII.
La plaza de los Vosgos (1605-1612) La Estatua y el jardin Luis XIII.

▲

La basilique du Sacré Cœur consacrée en 1919. Dominée par le dôme et le campanile (hauteur 80 m). Son clocher porte une des plus grosse cloches du monde: La Savoyarde (3 m de diamètre, 19 tonnes).
Die 1919 geweihte Basilika des Sacré-Cœur. Sie ist von der Kuppel und dem 80 m hohem Glokenturm überragt. Der Turm birgt eine der grössten Glocken der Welt, die Savoyarde (3 m Durchmesser und 19 Tonnen).
The Sacré-Cœur basilica consecrated in 1919 - it's dominated by the dome and by the bell tower (80 meters high). Its bell tower supports one of the biggest bell in the world: "The Savoyarde" (3 metres diameter, 19 tons).
La Básilica del Sagrado Corazon consagrada en 1919. Dominada por el cimborio y el campanil (80 m). Su campanario lleva una de las mayores campanas del mundo: « La Saboyana » (3 m de diametro, 19 toneladas).

◀

L'hôtel de Sens (1475-1507).
Das Hôtel de Sens (1475-1507).
The Hôtel de Sens (1475-1507)
El Hotel de Sens (1475-1507).

▶

Le chœur; au-dessus de l'autel, mosaïque de Luc-Olivier Merson.
Der Chor; über dem Altar, Mosaik von Luc-Oliver-Merson.
The choir; above the altar, the mosaic by Luc-Olivier-Merson.
El Coro; encima del altar, mosaico de Luc Olivier-Merson.

▶
Montmartre la nuit: la place du Tertre et le dôme de la basilique du Sacré-Cœur.

Montmartre bei Nacht: Der Place du Tertre und die Kuppel der Basilika des Sacré-Cœur.

Montmartre by night: Place du Tertre and the dome of Sacré-Cœur basilica.

Montmartre de Noche: la plaza del Tertre y la cúpula de la Basílica del Sagrado Corazon.

▲
La place du Tertre et ses artistes peintres.

Der Place du Tertre und seine Kunstmaler.

Place du Tertre and its artists-painters.

La plaza del Tertre y sus artistas pintores.

▶
Montmartre. Moulin de la Galette.

▲

Le Cabaret rustique du Lapin Agile et les vignes de Montmartre.

Das ländliche Kabarett « Lapin Agile » und die Weinberge von Montmartre.

The Cabaret rustique du Lapin Agile and the vineyards of Montmartre.

La Taberna rustica del lonejo Agil y las viñas de Montmartre.

▶

Le Vieux Montmartre. Rue de l'Abreuvoir.

Der alte Montmartre. Rue de l'Abreuvoir (Tränkestrasse).

The Old Montmartre. Rue de l'Abreuvoir.

El viejo Montmartre. Calle del bebedero.

▶
En remontant les Pavés de la Butte.
Kleine Ruhepause beim Aufstieg zum « Butte ».
A little rest on the way up to Montmartre.
Camino arriba de los enlosados de la Butte.

▼ *Pigalle!...*

▲

Place Blanche. Le moulin Rouge (Berceau du French Cancan).
Place Blanche. Das Kabarett « Moulin Rouge » (Geburtsstätte des French Cancans).
Place Blanche. The Moulin Rouge (Cradle of French Cancan).
Plaza Blanca - El molino Rojo (Cuna del French Cancan).

◀

Affiche de Toulouse Lautrec.
Plakat von Toulouse-Lautrec.
Toulouse Lautrec's poster.
Cartel de Toulouse Lautrec.

▶

Au bord de la Seine, sur l'Ile Saint-Louis.
Die Seine entlang auf der Insel St. Louis.
Along the Seine in St. Louis Island.
En el bordillo del Sena, sobre la Isla San-Luis.

◀ *Le Canal Saint-Martin.*
Der St. Martinskanal.
The Saint Martin Canal.
El canal San-Martin.

▶ *Le parc Monceau. La Naumachie.*
Der Monceau-Park. Die Naumachie.
Monceau park - The Naumachia.
El parque Monceau. La piscina excavada dentro de un circo para un espectáculo naval romano.

▼ *Le lac et le temple des Buttes-Chaumont.*
See und Tempel des Buttes-Chaumont-Parks.
The lake and the temple of Buttes-Chaumont.
El lago y el Templo de los Buttes-Chaumont.

Le Bois de Boulogne et le Parc de Bagatelle.
Bois de Boulogne und Bagatelle-Park.
The Bois de Boulogne and Park of Bagatelle.
El Bosque de Bolonia y el parque de Bagatelle.

▲
Le Bois de Vincennes. Le lac Daumesnil.
Bois de Vincennes. Der Daumesnilsee.
The Bois de Vincennes. The Daumesnil lake.
El Bosque de Vincennes. El lago Daumesnil.

▶
Contre jour dans le Bois de Boulogne.
Gegenlicht im Bois de Boulogne.
Backlight at Bois de Boulogne.
Contra-dia en el Bosque de Bolonia.

▼
Le Châlet des Iles au bois de Boulogne.
Das Châlet der Inseln (Bois de Boulogne).
The Châlet of the isles at bois de Boulogne.
La casita de las Islas en el Bosque de Bolonia.

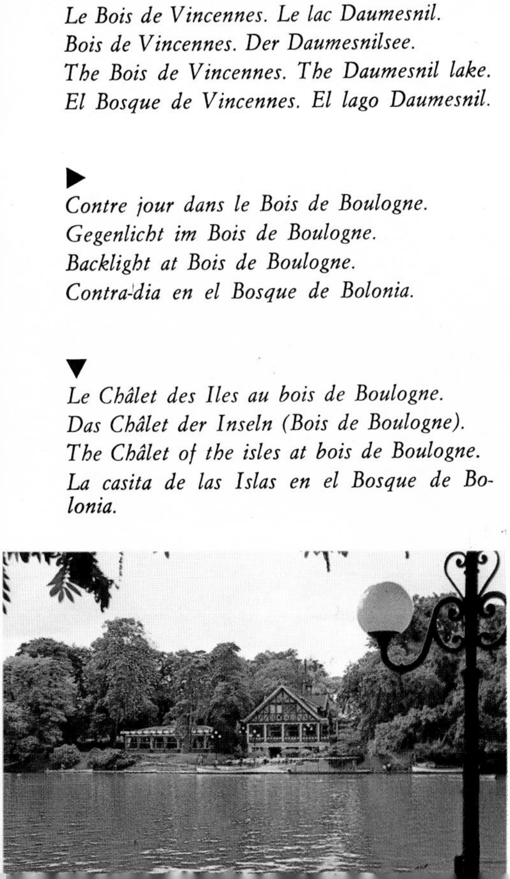

Versailles

Conduit par le double souci de s'éloigner des remuantes foules parisiennes et de garder sous son contrôle la haute noblesse, LOUIS XIV installa ici sa résidence et son gouvernement, dans un château qui est à la fois une ville et un hommage épique à la Majesté du ROI SOLEIL.
Dans un parc de plusieurs kilomètres de long et de large, le visiteur peut dialoguer avec une nature humanisée par le génie de LE NOTRE et la présence, vite familière, d'un peuple mythologique de bronze et de marbre.
A l'écart du château et de ses foules, les rois, vinrent chercher au Grand-Trianon, bâti pour LOUIS XIV par HARDOUIN-MANSART, le calme d'une nature composée dans l'esprit du temps.
Le Petit-Trianon, moins majestueux, plus intimement lié à la nature, reflète la grâce des femmes qui l'aimèrent.
La sensibilité du XVIIIè siècle finissant et le goût d'une nature libérée annonçant le romantisme s'expriment dans les allées, la rivière, le lac et le gracieux Temple de l'Amour du jardin anglais.
MARIE-ANTOINETTE vint ici jouer à la fermière dans un village de pastorale qui garde tout le charme des tableaux de BOUCHER ou de FRAGONARD.

Aus dem Wunsch heraus, sich vom lärmenden pariser Volk zu entfernen und den hohen Adel unter Kontrolle zu halten, richtete sich Ludwig XIV. hier seine Residenz und seinen Regierungssitz ein. Das Schloss ist zugleich Stadt und beredte Huldigung des Sonnenkönigs.
In einem Park, der sich über mehrere Quadratkilometer erstreckt, kann der Besucher mit der durch LE NOTRE auf geniale Weise gezähmten Natur Zwiesprache halten, ebenso wie mit einem schnell vertrauten mythologischen Volk aus Bronze und Marmor.
Die Könige suchten abseits vom Schloss und seinem Getümmel im GrandTrianon, für Ludwig XIV. von HARDOUIN-MANSART gebaut, Ruhe in der nach dem Geschmack der damaligen Zeit gestalteten Natur.
Der Petit Trianon ist weniger majestätisch und naturgebundener. Er spiegelt die Anmut der Frauen wieder, die ihn liebten. Die Empfindsamkeit zum Ende des XVIII. Janrh. und die Freude an der befreiten Natur - Zeichen der beginnenden Romantik-drücken sich in den Alleen, dem Fluss, dem See und dem anmutigen Liebestempel aus. Hier spielte Marie-Antoinette Bäuerin in einem Hirtendörfchen, das den ganzen Charm der Bilder BOUCHERS und FRAGONARDS besitzt.

▶

Le Tapis vert; au fond le bassin de Latone et le château.

Die Grüne Wiese; im Hintergrund, das Latone-Bassin und das Schloss.

▶

The "Tapis vert"; at the bottom the Latone basin and the castle.

El tapis verde; al fondo el estanque de Latone y el castillo.

Pierre MIGNARD
Louis XIV

Led by the twofold desire to move away from the tumultuous parisian crowd and to control the high nobility, Louis XIV chose this place for his residence and government in a palace which is at the same time a town and an epic homage paid to his Majesty "Le Roi Soleil".
In a park several miles long and broad, the visitor can converse with a nature humanised by the talent of Le Nôtre and the familiar presence of bronze and marble mythological figures.
Away from the palace and its crowds, the Kings in the Grand Trianon built for Louis XIV by Mansart, looked for the quiet nature designed in the spirit of the age.
The Petit Trianon is less majestic and more closely bound to nature; it shows the charm of two women who loved it. The sensitivity of the ending 18 th. century and the taste for a free nature, forerunner of Romanticism are expressed by the river, the lake, the charming Temple de l'Amour of the "Jardin anglais".
Marie-Antoinette came here and played as farm lady in a pastoral village reminding of the charming paintings by BOUCHER or FRAGONARD.

Conducido por la doble preocupación de alejarse de las revoltosas munchedumbres parisinas y mantener su autoridad sobre la alta nobleza, Luis XIV instálo aqui su residencia y su gobierno, en un palacio que es a la por una ciudad y un homenaje épíco a la majestad del « Rey-Sol ».
En un parque de varios kilómetros de largo y de ancho, el visitante puede dialogar con una naturaleza humanizada por el genio de LE NOTRE y la presencia pronto familiar de un pueblo mítológico de bronce y mármol.
Fuera del Palacio y de sus muchedumbres, los reyes fueron a busear al Gran Trianon, edificado para Luis XIV por HARDOUIN-MANSART, la quietud de una naturaleza compuesta en el espiritu del tiempo.
El Pequeño Trianon menos majestuoso pero mas íntímamente relaciónado con la naturaleza, refleja la gracia de los mujeres que lo quisieron. La sensibilidad del Siglo XVIII expirante, y el gusto por una naturaleza liberada anunciando el romantismo se expriman en los paseos tortuosos del Jardin Inglés, con su rio, su lago y el gracioso Templo del Amor. Maria-Antoñeta vino aqui a jugar a la cortijera en un pueblo pastoral que conserva todo el encanto de los cuadros de BOUCHER o de FRAGONARD.

◀
Louis XIV. (Portrait par Mignard).
Ludwig XIV. (Bildnis von Mignard).
Louis XIV (Portrait by Mignard).
Luis XIV (Retrato par Mignard).

▼
Les parterres d'eau (au premier plan: « le Rhône »).
Die Wasserflächen (im Vordergrund: « le Rhône ») und das Schloss.
The "parterres d'eau" (at foreground: "the Rhône") and the palace.
Los parterres de agua (en primer plano: « el Rhône »).

◀
Le grand Trianon (édifié en 1687 par Mansart) et les jardins.
Das Grosse Trianon (1687 von Mansart gebaut) und die Gärten.
The big Trianon (built in 1687 by Mansart) and the gardens.
El Gran Trianon (edificado en 1687 por Mansart) y los jardines.

▶
Jardin du petit Trianon: le temple de l'Amour.
Garten des Kleinen Trianons: der Liebestempel.
The Petit Trianon garden: The temple of Love.
Jardin del pequeño Trianon: el Templo del Amor.

Parc du château: les grandes eaux du bassin de Latone.
Le Petit Trianon: le grand lac et la maison de la Reine.

Park des Schlosses: Die weiten Wasserflächen des Latone-Bassin. Das Kleine Trianon: Der grosse See und das Schlösschen der Königin.

The castle park: the big waters at Latone basin. The Petit Trianon: the big lake and the Queen's residence.

Parque del Castillo: los surtidores del estanque de Latone. El pequeño Trianon: el gran lago y la casa de la Reina.

Fontainebleau

L'immense forêt de Fontainebleau attira très tôt ces grands chasseurs que furent les rois de France. Philippe Auguste y édifia un château où naquit et mourut Philippe le Bel.
François Ier conquis par son premier séjour fit de Fontainebleau la grande résidence royale.
Louis XIV et Louis XV s'intéressèrent surtout aux jardins, NAPOLEON y séjourna volontiers et meubla, en particulier, les grands appartements. Sous Louis Philippe on restaura avec une indélicatesse dont ont irrémédiablement souffert les décors intérieurs du XVIe siècle. Fontainebleau est constitué d'un ensemble de châteaux expression des goûts et des personnalités des souverains qui aimèrent à y vivre.

Der riesige Wald von Fontainebleau lockte schon sehr früh die Könige Frankreichs, die grosse Jäger waren. Philippe Auguste liess dort ein Schloss errichten, in dem Philippe der Schöne geboren wurde und starb.
Franz I., gleich bei seinem ersten Besuch begeistert, machte aus Fontainebleau seine königliche Residenz. Ludwig XIV. und Ludwig XV. interessierten vor allem die Gärten. Napoleon hielt sich dort gerne auf und stattete vor allem die « Grands Appartements » aus. Unter Louis Philippe wurde mit einer solchen Rücksichtslosigkeit restauriert, dass die Innendekorationen, aus dem XVI. Jahrn. bleibende Schäden davontrugen. Fontainebleau besteht also aus einem Ensemble von Schlössern, die den jeweiligen persönlichen Geschmack der verschiedenen Herrscher wiederspiegeln.

The immense Fontainebleau woodland soon attracted these important hunters who were the Kings of France. Philippe-Auguste built there a castle where "Philippe le Bel" was born and died. François I°, charmed by his first stay here, changed Fontainebleau in a large and royal residence; Louis XIV and Louis XV took particular care of its gardens.
Napoléon liked to stay here; he suggested the furniture for the state apartments.
Under Louis-Philippe, the buildings were restored with tactlessness of which the inside decorations of XVI th. century have irremediably suffered.
Fontainebleau consists of a suite of mansions reflecting the taste and personality of the sovereigns who stayed here.

La ínmensa selva de Fontainebleau atrajo muy pronto a aquellos grandes cazadores que fueron los reyes de Francia. Felipe-Augusto edificó allí un castillo donde nació y murió Felipe el Mermoso.
Francisco 1, conquistado por su primera estancia, hizo de Fontainebleau la gran residencia real.
Luis XIV y Luis XV se interesaron sobre todo por los jardines. Napoleon residio con muncho gusto y amueblo en particular los grandes apartementos. Bajo Luis-Felipe hubo restauraciones con una indelicadeza de que padecieron sin remedio los admirables decorados interiores de siglo XVI.
Fontainebleau esta constituido por un conjunto de castillos, expresión de los gustos y de las personalidades de los soberanos que gustaron residir en el.

▶

Napoléon dans le costume du Sacre (François Gérard 1770-1837).
Napoleon im Weihungskleid. (François Gérard 1770-1837).
Napoleon in his inauguration garment. (François Gérard 1770-1837).
Napoléon en su traje de la Consagración (Francisco Gérard 1770-1837).

La fontaine de Diane.
Jardin du palais: Le bassin du Tibre.
Chambre à coucher de Napoléon Ier.
Escalier du Roi ou escalier d'honneur. Construit par Gabriel en 1749 sur l'emplacement de la chambre d'Anna de Pisseleu, Duchesse d'Etampes, favorite de François Ier.

Der Dianabrunnen.
Garten des Palastes: Das Tiber-Bassin.
Schlafzimmer Napoleons I.
Königstreppe oder Hauptreppe. Sie wurde 1749 von Gabriel genau über dem Zimmer von Anna de Pisseleu, Herzogin von Etampes, Favoritin von François I, gebaut.

Diana fountain.
Palace Garden: Tiber basin.
The bedroom of Napoleon I.
Royal Grand Staircase or Honour Grand staircase. It. was built by Gabriel in 1749 on the position of the bedroom of Anna de Pisseleu, Duchesse d'Etampes, the favourite of Francis 1 st.

La Fuente de Diana.
Jardin del Palacio: el estanque del Tiber.
Dormitorio de Napoléon 1er.
Escalera del Rey o escalera de honor. Construida en 1749 sobre el sitio de la habitacion de Anna de Pisseleu; Duquesa d'Etampes, favorita de Francisco 1er.

Chartres

La première cathédrale fut construite sur une crypte primitive, au XIe siècle. Vers 1150 on résolut d'élever, en avant de la façade, le clocher nord, puis, par souci d'équilibre, le clocher sud. En 1194, un incendie détruit l'édifice, épargnant la façade et les clochers. Avec la même foi, des milliers de pélerins reconstruisent une nouvelle cathédrale, celle du XIIIe siècle, modèle de la cathédrale gothique. Les embellissements postérieurs permettent de suivre l'évolution de l'art gothique jusqu'au XVIe siècle.

Die erste Kathedrale wurde über einer ursprünglichen Krypta im XI. Jahrhundert erbaut. Um 1150 wurde, gegen die Fassade vorspringend, erst der Nordturm, später der Südturm erbaut. Im Jahre 1194 zerstört eine Feuersbrunst das Gebäude, nur Fassade und Glockentürme verschonend. Tausende von Wallfahren erbauen eine neue Kathedrale, jene des XIII. Jahrhunderts, ein Vorbild der gotischen Kathedrale. Die späteren Verschönerungen erlauben die Entwicklung der Gothik bis ins XVI. Jahrhundert zu verfolgen.

The first Cathedral has been built in the XIth century upon a primitive crypt. Towards 1150 the north tower was erected, before the front, a little later the south tower has been added. In 1194 a fire destroyed the building, sparing the front and the towers. Thousands of pilgrims build a new cathedral, that of the XIIIth century, a pattern fo a Gothic cathedral. The afterwards apported embellishments allow to follow the evolution of Gothic art up the XVIth century.

La primera catedral fue construida sobre una cripta primitiva, en el siglo XI. Hacia 1150, se decidio de elevar en adelante de la fachada, el campanario norte, y seguidamente para equilibrar la obra, el campanario sur.
En 1194, un incendio destrozo el edificio, evitando la fachada y los campanarios. Con la misma fe, millares de peregrinos reconstruyeron una nueva catedral, la del siglo XIII, modelo de la catedral, gótica. Los embellecimientos posteriores permiten de seguir la evolución del Arte Gótico asta el siglo XVI.

◀

Fontainebleau:
le Pavillon de l'Empereur.
Das Kaiserschlösschen.
The Emperor Pavilion.
El Pabellon del Emperador.

▼

La Cathédrale de Chartres (gravure romantique)
Die Kathedrale von Chartres (romantischer Stich).
Chartres Cathedral (romantic engraving).
La Catedral de Chartres (grabado romántico).

Les ponts sur l'Eure et la cathédrale (XIIe siècle), aux flèches de 106 et 115 mètres. Le tour du chœur: L'Adoration des Mages: Jésus est assis sur les genoux de sa Mère. La place Châtelet la nuit.

Die Brücke über die Eure und die Kathedrale (XII Jh.), deren Turmspitzen 106 und 115 m Höhe erreichen. Der Chorturm. Die Anbetung der Heiligen drei Könige.
Jesus sitzt auf den Knien seiner Mutter. Der Châtelet-Platz bei Nacht.

Bridges on the river Eure and the cathedral with its spires 106 and 115 meters high. (XII th. century) Around the choir: "The worshipping wise men" Jesus sitting on his mother's lap. Place Châtelet by night.

Los puentes sobre el rio Eure y la Catédral (siglo XIIe), las aguras de 106 y 115 métros.
El torre del Coro: la Adoración de los Magos. Jesus esta sentado sobre las rodillas de su Madre.
La plaza Châtelet de noche.

Rambouillet: Résidence Présidentielle. Le Château, forteresse au XIVe siècle, se métamorphose au gré des siècles et du goût des propriétaires successifs - Son parc résume tous les thèmes des paysagistes du XVIe au XIXe siècle.

Rambouillet, Residenz der Präsidenten. Das Schloss, eine Festung aus dem XIV. Jahrn, verändert sich im Laufe der Jahrhunderte je nach Geschmack der aufeinanderfolgenden Besitzer. Der Park gibt die Themen aller Landschaftsmaler des XVI. bis XIX. Jahrn. wieder.

Rambouillet. The castle of the 14 th. century has changed along the centuries and the taste of its successive owners. Its park offers a good picture of landscapes from the 16 th. to the 19 th. century.

Rambouillet: Résidencia Presidencial. El castillo, fortøleza del XIV siglo, se metamorfoseo al grado de los siglos y del gusto de los proprietarios sucesivos. Su parque resuma todos los temas de los paisajistas del XVI y XIX siglo.

Pierrefonds.
Restauré au XIXe siècle par Viollet le Duc, appartint à Louis d'Orléans, assassiné par Jean sans peur (1405).
Im XIX. Jahrh. von Viollet-le-Duc restauriert, gehörte Ludwig von Orléans, der von Jean sans Peur ermordet wurde (1405).
The castle was restored by Viollet le Duc in the 19 th. century. It was the property of Louis d'Orléans who was murdered by Jean-sans-Peur (1405).
Restaurado en el siglo XIX por Viollet-le-Duc, pertenecio a Luis de Orleáns asesinado por Juan-sin-Miedo (1405).

Saint-Germain en Laye.
Le Château conçu en 1669 par Mansart pour remplacer un pavillon de chasse du roi Louis XIII.
Das Schloss wurde 1669 von Mansart als Ersatz für ein Jagdschlösschen Ludwigs XIII. entworfen.
This palace was designed in 1669 by Mansart to replace a hunting pavilion for king Louis XIII.
El castillo fue concebido en 1669 par Mansart para reemplazar un pabellón de caza del Rey Louis XIII.

Chantilly.
Edifié pour le duc d'Aumale, dans le style Renaissance de 1875 à 1881. C'est le cinquième château bâti sur le même site. Il abrite un musée d'art exceptionnel.
Im Renaissancestil 1875 bis 1881 für den Herzog von Aumale erbaut. Es ist das funfte an dieser Stelle erbaute Schloss und beherbergt ein sehenswertes Kunstmuseum.
Built for the Duc d'Aumale in the Renaissance style from 1875 to 1881.
It is fifth palace built on the same site; in it, a remarkable art museum can be visited.
Edificado por el Duque de Aumale en el estilo Renacimiento de 1875 a 1881. Es el quinto castillo edificado sobre el mismo sitio. Este último abriga un museo de Arte excepcional.

Dreux:
La Chapelle royale Saint-Louis, construction romantique où sont rassemblés les tombeaux de la famille d'Orléans.
Die Königskapelle des Saint Louis, romantische Konstruktion, die die Gräber der Familie der Orleans birgt.
The Royal Chapel St. Louis. A romantic piece of architecture where tombstones of the Orléans Family can be seen.
La Capilla real San-Luis, construcción romántica donde se encuentran reunidas las tumbas de la familia de Orléans.

INDEX

**Les photographies de cet ouvrage ont été choisies dans les collections de cartes postales des Editions GUY, P.I., VALOIRE, ESTEL.
Pour visiter Paris et ses environs, consultez le Guide « PARIS EN 4 JOURS » avec itinéraires.
Pour mieux circuler dans Paris et sa banlieue, retenez les guides et plans des Editions A. LECONTE.**

**Die Photographien dieses Bandes sind den Postkartenkollektionen der Verlage GUY, P.I., VALOIRE und ESTEL entnommen.
Für Paris und Umgebung empfienlt sich der Führer « Paris in 4 Tagen » mit Rundgängen.
Führer und Karten des Verlags A. Leconte geleiten Sie mühelos durch Paris und Umgebung.**

**The photographs of this book have been selected from post-card series published by: "GUY", "P.I.", "VALOIRE", "ESTEL".
To visit Paris and its surroundings, look for the guide "PARIS IN 4 DAYS" with selected itineraries. To find your way in Paris and surroundings, ask for guides and maps from A. LECONTE publishers.**

**Las fotografias de esta obra han sido escojidas en las colecciónes de tarjetas de las Ediciónes GUY, P.I., VALOIRE, ESTEL.
Para visitar Paris y sus cercanias consulten el Guía « PARIS EN 4 DIAS » con los itinerarios.
Para circular mejor por Paris y su barriada, retengan los guías y planos de las Ediciónes A. LECONTE.**

Imprimé en Italie